目次

日本学術会議への人事介入を問う

志位和夫委員長の国会質問

日本学術会議への人事介入を問う

志位和夫委員長の国会質問

日本共産党の志位和夫委員長が２０２０年11月4日の衆議院予算委員会で行った、菅義偉《ょしひで》首相による日本学術会議の会員任命拒否問題での質問（全文）を紹介します。

志位和夫委員長　私は、日本共産党を代表して、菅総理に質問します。

総理が、日本学術会議が推薦した科学者のうち6人の任命を拒否したことは、法の支配、学問の自由、基本的人権を侵害し、わが国の今後に計り知れない災いをもたらす、きわめて重大な問題であります。そこで私は、今日は、日本学術会議への人事介入問題に絞って質問をいたします。

志位　6人を任命すると総合的・俯瞰的活動に支障をきたすという認識か

首相　人事に関することであり、お答えは差し控える

志位　任命拒否の理由になりえないということだ

理由も示さずに任命拒否――国民の不安と批判が集まっている

志位　まず、なぜ6人の任命を拒否したのか。

総理は、その理由として、学術会議の「総合的・俯瞰《ふかん》的活動を確保する観点」からだと繰り返してこられました。

しかし、総理のこの説明に対して、どの世論調査でも国民の6割から7割が「説明不足」と答えております。理由も示さずに特定の人の任命を拒否する。政府が自分たちに都合の悪い異論を排斥しているのではないか。ここに国民の不安と批判が集まっております。

日本学術会議は、人文・社会科学、生命科学、理学・工学など、日本の科学者全体を代表する機関であり、その活動が、総合的・俯瞰的活動となることが望ましいことは当たり前のことですし、総理に言われなくても学術会議自身がその重要性を繰り返し表明しています。

問題は、「総合的・俯瞰的活動を確保」ということが、6人の任命拒否の理由になりうるかということです。

総理にうかがいます。私は、10月29日の本会議の代表質問で、「6人を任命すると学術会議の総合的・俯瞰的活動に支障をきたすという認識なのか」と聞きました。総理からは答弁がありませんでした。

私は非常にシンプルなことを聞きました。「支障をきたす」という認識なのか。イエスかノーか、端的にお答えください。総理。

菅義偉首相　きわめて大事なことですから、イエスかノーで答えられないと思います。私が説明をさせていただきたいと思います。年間10億円の予算を使って活動している政府の機関であり、任命された会員は公務員になります。その前提で社会的課題に対して提言などを行うために、専門分野の枠にとらわれない広い視野に立って、バランスの取れた活動を確保するために必要な判断を行ったものです。

さらに今回の個々人の任命の判断とは直結しませんけれども、私は学術会議自体に、官房長官時代からさまざまな懸念を持っていました。かねて、多様な会員を選出すべきといわれながら、現状は出身や大学に大きな偏りがあって、民間人や49歳以下の若手はわずか3%です。大学を見てみますと、七つの旧帝国大学が45%を占めています。１７３ある国立大学、公立大学、17%です。６１５ある私立大学は24%です。産業界、民間の人が3%で、そして49歳以下の若手は3%。さらに会員の選考というのは、全国に90万人いる研究者のうち、約２００人の会員、また２０００人の連携会員とのつながりのある方に限られた方々などから選ばれており、閉鎖的・既得権のようになっていると言われても仕方がないと思います。

こうしたなかで推薦された方々が、そのまま任命されてきた前例踏襲をやめ、総合的な判断として99人を任命することを判断

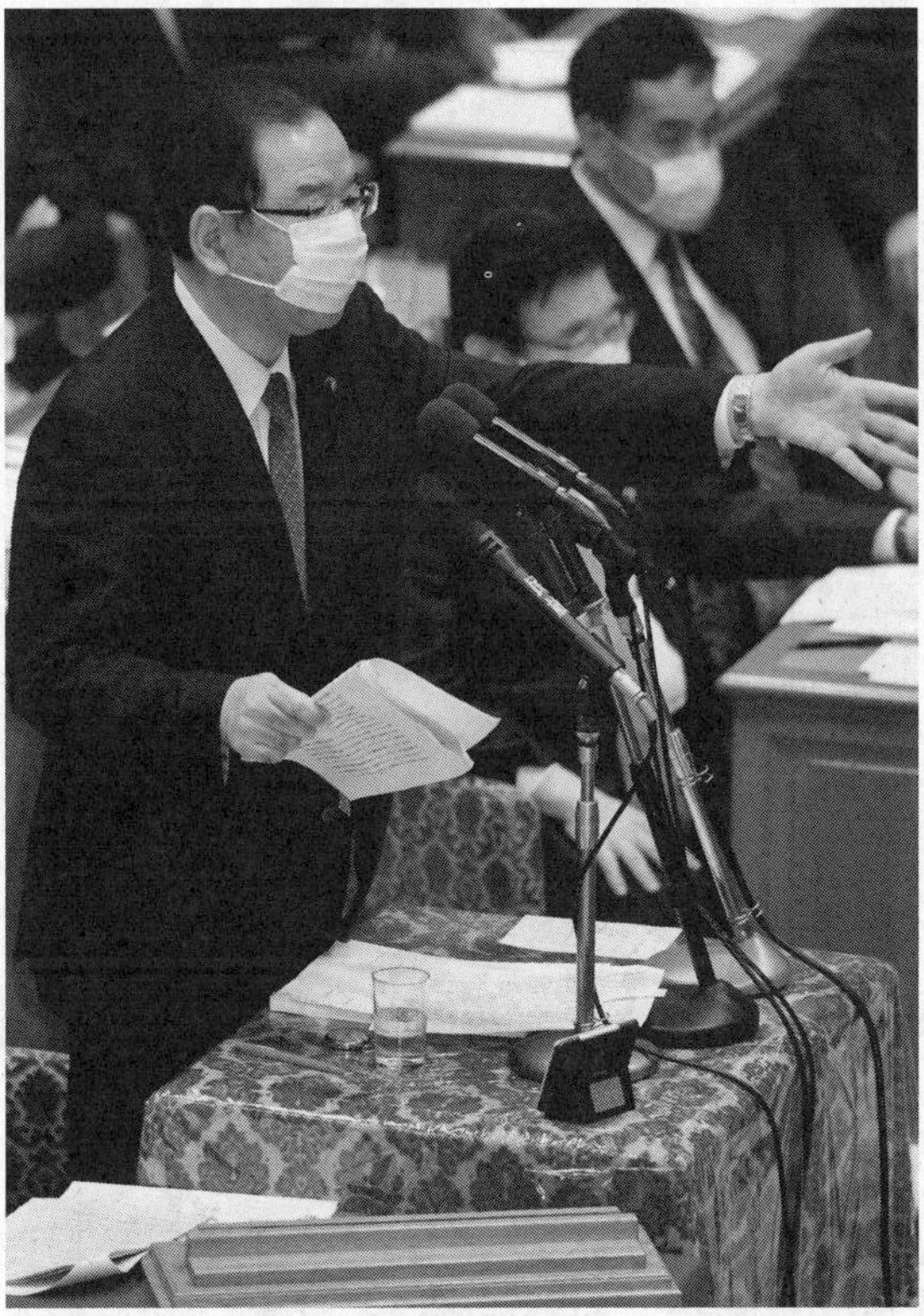
質問する志位和夫委員長＝2020年11月4日、衆議院予算委員会

させていただいたということであります。

「閉鎖的、既得権益」――事実に反し、あまりに敬意を欠いた失礼な発言

志位　いま長々とお答えになりましたが、私の聞いたことに全く答えておりません。

そのなかで最後に総理がいわれた「閉鎖的で既得権益」、これはひどい答弁だと思いますよ。「会員・連携会員とつながりのある限られた中から選ばれている」と言いますが、事実に反します。新会員の選考というのは、会員・連携会員の推薦だけでなく、協力学術研究団体からの情報提供をもとに選考委員会が選考している。

「既得権益」と言いますけれど、（予算が）10億円ということも言うけれど、会員の給料はゼロです。自らの研究や教育の時間を削って、科学の成果を社会に還元しようという使命感で頑張っておられる。そういう科学者に対してあまりに敬意を欠いた失礼な発言だと思いますよ。

そして、あなたがあれこれ言ったことは、何よりも6人の任命拒否の理由に全くなってない。問題のすり替えです。

私が聞いたのは一つ。答えてください。6人を任命すると、学術会議の総合的・俯瞰的活動に支障をきたすのかどうか。これを聞いているんです。これも答えられないんですか。

首相　個々人の任命の理由については、政府の機関に所属する公務員の任命であり、通常の公務員の任命と同様に、その理由については人事に関することであり、お答えは差し控えたいと思います。

志位　個々人の任命の理由について聞いているんじゃない。6人を任命したら支障が出るのかと聞いた。それに対して答えられない。つまり、「総合的・俯瞰的活動を確保」というのは、任命拒否の理由になり得ないということであります。

志位「多様性が大事」といいながら、判断の結果はことごとく矛盾しているではないか

首相（いっさい説明できず）人事のことはお答えを差し控える

志位 任命拒否の理由としてあげたことは、どれもこれもがみんな虚偽だ

総理の答弁は、「個々人の任命の理由については人事に関することで答弁を控える」の一点ばりでした。

しかし私は、「個々人の任命拒否の理由を聞いたんじゃないんです。総理が「多様性が大事」等を念頭に判断したと言いながら、判断の結果がことごとく矛盾しているではないですか。これを聞いたんです。総理、矛盾しているという認識はないんですか。お答えください。

首相 さきほど申し上げましたけども、特定の大学に偏っているんじゃないでしょうか。さらに、新しい会員を選ぶについて、90万人も研究員がいるなかで、連携会員２０００人と、約２００人の会員と何らかのつながりを持ってなければ会員になれないことも事実じゃないですか。今年の会員を見てみますと、連携会員から上がった人が7割で、会員・連携会員の推薦者が残りを占めているじゃないでしょうか。

志位 私は、矛盾しているという認識がないのかと聞いた。お答えがありません。

言えば言うほど支離滅裂——矛盾しているという認識はないのか

志位 さらに聞きます。総理は、「総合的・俯瞰的」では説明がつかなくなると、にわかに、学術会議の構成について、「一部の大学に偏っている」「私立大が少ない」「民間、若手が少ない」などと非難を始めました。「バランス」「多様性」が大事だと、これも言い出しました。しかし、言えば言うほど支離滅裂になっております。

私は、本会議の代表質問で、「若手が少ない」と言いながら、なぜ50代前半の研究者の任命を拒否したのか、「一部の大学に偏っている」と言いながら、なぜその大学からただ1人だけという研究者の任命を拒否したのか、「多様性が大事」と言いながら、なぜ比重の増加が求められている女性研究者の任命を拒否したのか、をただしました。

一部の大学に偏っているといいながら、（その大学から）1人しかいない研究者も任命拒否している。これが矛盾しているではないかと聞いた。

「私立大が少ない」といいながら、私立大の比重を下げたのは総理ではないか

志位　もう一問、聞きます。総理が、任命拒否をした6人のうち3人は私立大学の研究者です。あなたは「私立大が少ない」とおっしゃったけど、なぜ私立大学から3人削ったんですか。説明してください。これ、矛盾していると思いませんか。私立大の研究者の比重を下げたのは、あなたじゃないですか。総理。

首相　さっき私申し上げたように、全体としてみれば、そのようになっている。

志位　全く説明になっていない。私立大が少ないといいながら、なぜ削ったのかの説明になっていない。

違法状態をつくりだし、「バランス」を壊しているのは総理ではないか

志位　もう一点聞きます。

総理は、「バランス」が大事だとも言いました。ならばなぜ、任命拒否された6人のすべてが人文・社会科学系の研究者なのか。人文・社会科学系は6人が欠員という違法状態がつくられています。梶田隆章会長は、「運営や活動の著しい制約となっている」と訴えておられます。「バランス」と言いながら、自ら違法状態をつくりだして、バランスを壊しているのは総理じゃないですか。どうですか。

首相　さきほどらい、申し上げていますが、政府機関に所属する公務員の任命であり、通常の公務員の任命と同様に、その理由について人事に関することで、お答えすることは差し控えたいと思います。

志位　個々の方の任命拒否の理由を聞いたんじゃないんです。矛盾してるじゃないかと聞いた。私が聞いたのは、総理が、任命にあたって、「一部の大学に偏っている」とか、「若手が少ない」とか、「私立大が少ない」とか、「バランスが大事」とか、「多様性が大事」とかおっしゃる。それを念頭に判断したというけれども、判断の結果はことごとく矛盾してるんじゃないかということなんです。

それに対して一切の説明があなたはできない。つまり、総理が任命拒否の理由としてあげたことは、どれもこれもがみんな虚偽だということになるじゃないですか。言えば言うほど支離滅裂になっている。あまりに見苦しい態度といわなければなりません。

志位　「多様性」という点で明らかな改善――学術会議の努力をご存じないのか

首相　努力は承知しているが偏っている

志位　断面だけとらえ難癖は情けない。「任命拒否に理由なし」がはっきりした

一部大学の比重、地方の比率、女性の比率――15年で明らかに改善している

志位　さらに聞きます。総理は、「総合的、俯瞰的活動が大事」「多様性が大事」とおっしゃいますが、学術会議は、総理に言われるまでもなく、会員の推薦にあたって、そうした観点に配慮をした努力を行っています。

学術会議幹事会は、10月29日に行った記者会見で、「ジェンダーや地域、あるいは所属機関の違いも考慮して、科学者コミュニティーの多様なあり方がなるべく反映されるように苦心を重ねている」として、会員の性別、地域別、所属別の構成についてのデータを明らかにしております。

パネルをご覧ください（パネル１）。学術会議が明らかにしたデータをもとに作成したグラフです。２００５年と２０２０年の比較であります。青い棒は、東京大学と京都大学の比重ですが、35・2％から24・5％に下がっております。オレンジの棒は、関東地方以外の比率ですが、36・7％から49・0％に上がっております。そして赤い棒は、女性の比率ですが、20・0％から37・7％に上がっております。

総理は、現時点の断面だけを見て、あれこれをあげつらっていますけれども、この15年というスパン（期間）で見たときに、「多様性」という点で、明らかな改善の努力がはかられているじゃないですか。総理は、学術会議がこうした努力を行っていることを、ご存じないんですか。総理。

首相　今、私さきほど数字をあげて説明させていただきましたが、明らかに特定の大学に偏っていて、そして２００人の会員と連携会員２０００人のつながりのある方しか今回も会員に選任されてないことは事実じゃないでしょうか。

首相のやっていることは、学術会議の努力にことごとく逆行するもの

志位　私がいったのは、断面だけで見ないで、改善がされてるかと（いうことです）。これを見て、改善されていると評価できないんですか。

パネル1

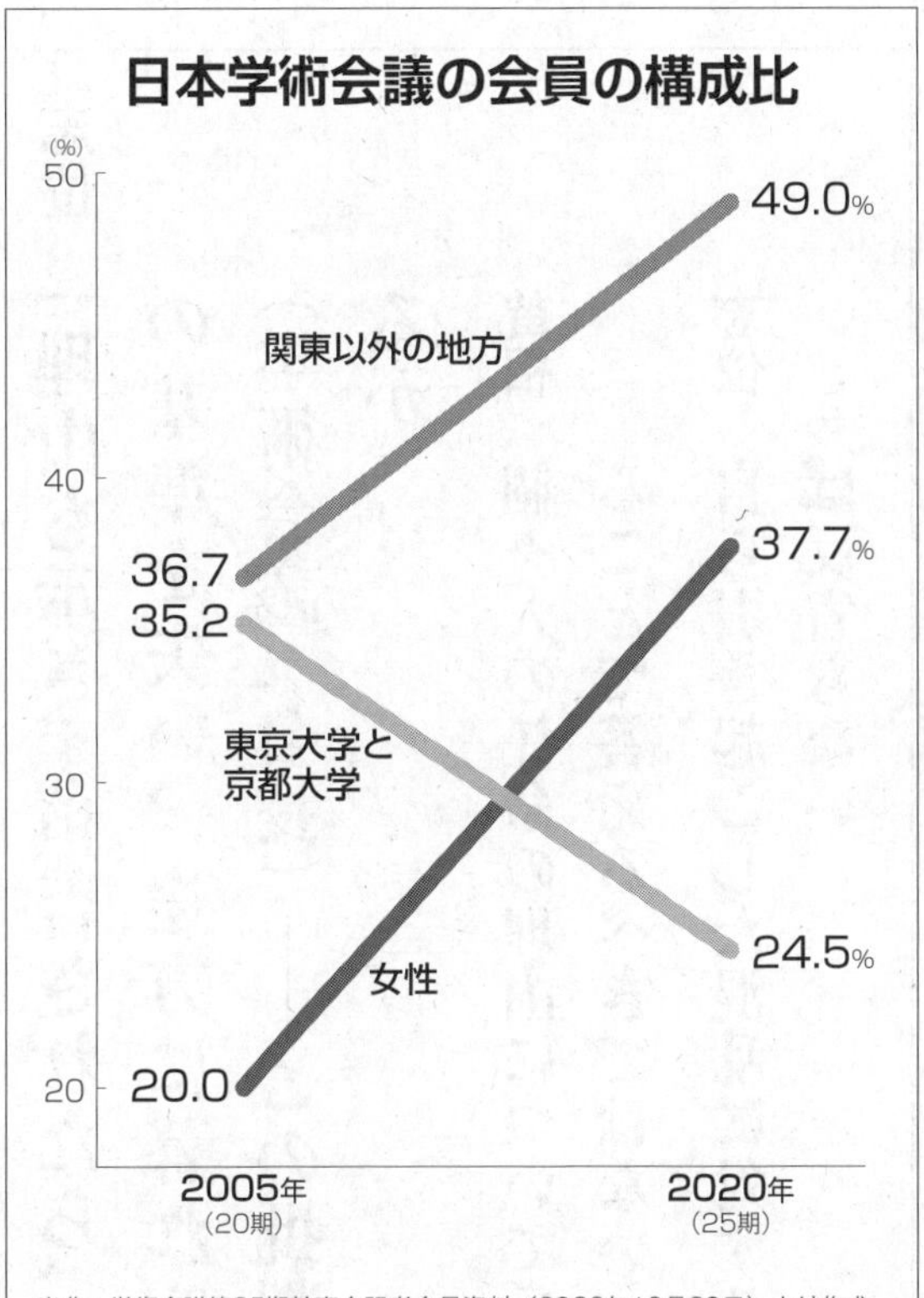

出典：学術会議第25期幹事会記者会見資料（2020年10月29日）より作成

それから、会員と連携会員のつながりのある人だけだと（いいますが）うそですよ。今回の25期についても、会員（と連携会員）からの推薦は１３００人です。関係学術研究団体からの情報提供は１０００人です。それをあわせて選考委員会で（会員選考を）やってる。ですから、これは全くあなたが言ってるのは事実と違うんです。

学術会議は、女性の比率を上げるために努力しているのに、女性研究者の任命を拒否する。特定大学に偏らないように努力しているのに、その大学からたった１人だけという研究者の任命を拒否する。私立大学の比重も、学術会議は、この15年間で20%から24%に引き上げてきているんです。それなのに3人の私立大学の研究者の任命を拒否する。総理のやっていることは、学術会議の努力にことごとく逆行するものじゃないですか。いかがですか。ことごとく逆行している。どうですか。

首相　そういう努力をしていることは承知してます。しかし現実的に見たら、45%を七つの旧帝大、国立大学と公立大学が１７３あって17%、私立大学が６１５あって25%で、全体総数から、これは見たら偏ってると言わざるを得ないんじゃないでしょうか。

志位　こういう改善の努力をまったく見ないで、断面だけとらえて、あれこれの、まさに難癖をつける。本当にこれは情けないことだと思います。

私は、総理のいう「総合的、俯瞰的」うんぬん、あるいは「多様性」うんぬん、どれもこれも、任命拒否の理由にはならない。これははっきりしたと思います。「任命拒否に理由なし」。これがはっきりしたんじゃないでしょうか。

志位　「理由も示さず拒否されたら、今後の選考の基準を失い、途方に暮れるしかない」（学術会議元会長）――この批判にどう答えるか

首相　個々人の任命の理由については、人事に関することで答えるべきではない

志位　自ら引き起こした混乱に対する自覚もなければ反省もない

志位　さらに聞いていきたいと思います。

日本学術会議法に規定されている会員の選考基準は、「優れた研究又は業績のある科学者」の、一点だけなんです。学術会議は、この法律の基準を踏まえつつ、推薦者ができるだけ多様になるように努力しています。

そのときに、総理が、理由を明かさないままに任命拒否を行ったら、学術会議をどういう立場に追い込むか。

「法律に沿っても拒否されるなら、今後の選考は基準を失いかねない」（大西元会長）

志位　学術会議の大西隆元会長・東大名誉教授は、任命拒否を次のように批判しております。総理、よくお聞きください。

「その理由が明かされていないことが一番の問題だと私は考える。日本学術会議は、新会員の推薦を法律に基づいて決めている。法では会員の選考基準を『優れた研究又は業績のある科学者』と定め、……明確な選考基準を示し、『気に入らないからだめだ』などという恣意《しい》的な選考にならないようにしている。……任命しない場合には、首相は理由を説明する責任がある。選考基準が明確なだけに、理由が分からない場合の弊害が大きいからだ。学術会議は今後、どのように新会員を選ぶべきかが分からなくなる。法律に沿っても拒否されるならば、今後の選考は基準を失いかねない。さらに、拒否の理由が臆測を呼び、憲法が保障する学問の自由に抵触する恐れがある」

「理由もなく拒否されたのなら、学術会議は途方に暮れるだけ」（広渡元会長）

志位　もうひとかた、広渡《ひろわたり》清吾《せいご》元会長・東大名誉教授は、次のようにのべておられます。

「学術会議法には『優れた研究又は業績』のある者から選ぶと書いてある。首相が会員の資格がないというならば、この要件に

質問する志位和夫委員長（左）＝2020年11月4日、衆議院予算委員会

照らして言わなければなりません。当事者の学術会議にも何もわからないようであれば、学術会議としてはどうしてよいかさっぱりわからないではないですか。理由もなく拒否されたのなら、学術会議は途方に暮れるだけです。そしてもし、世間が言うように政治的な理由で拒否されたのだというのであれば、次の会員の選考において、（政府の）法案に反対した人かどうかの判断をするかもしれない。その判断は、明らかに法に反した判断です。こういう判断に導く恐れのある首相の行動は、法の解釈からいうと全く誤っているとしか言いようがない」

総理にうかがいます。元会長のお二人が共通して訴えておられるのは、〝学術会議は、「優れた研究又は業績」という法に基づいて推薦している。総理が会員の資格がないというなら、この基準に照らして理由を言わなければならない。理由も示さずに拒否されたら、学術会議は今後の選考の基準を失い、途方に暮れるしかない。拒否の理由が臆測を呼び、次の会員の選考において法に反した判断に導く恐れがある〟。

当然の批判じゃないですか。総理は、この批判にどうお答えになりますか。総理、総理、総理、総理が手を挙げているんですから。総理です。

日本学術会議の独立性・自主性を根底から破壊することになる

加藤勝信官房長官　学術会議の構成、その法律の話ですから。いまお話ありましたように、17条においてはたしかに推薦の考え方を規定しているわけですが、任命の考え方そのものの規定はあくまでも「推薦に基づく」ということのみ書かれていまして、したがって任命にあたっては従前から申し上げておりますように、この日本学術会議法の目的、趣旨等ふまえて判断をしていくことに、いわばなるわけです。したがってそれに関してこれまで、総合科学技術会議等から指摘されているように、総合

的、俯瞰的、そうした観点からすすめていくことが求められている。そうした意味において、この会議がそうした活動をしっかりしていくことを政府としてしっかりと責任を持つ、国民に対して責任を持つ、そうした判断をする、これは当然だろうと思います。

志位　なんにも答弁していません。お二人の会長が訴えているのは、理由もなく推薦が拒否されたら、もう学術会議としては途方に暮れちゃうということなんです。総理どうですか。お答えください。

首相　さきほどから何回も申し上げておりますけども、個々人の任命の理由については政府の機関に所属する、これ公務員の任命です。通常の公務員の任命と同様に、その理由については人事に関することであり、答えるべきではない。

志位　あなたは自ら引き起こした混乱に対する自覚もなければ反省もない。理由を明らかにしないままの任命拒否は、私は日本学術会議の独立性・自主性を根底から破壊することになると思います。

志位　学術会議には、創設時に吉田総理がのべたように「高度の自主性」が与えられていることを認めるか

首相　発言は承知している

志位　「高度の自主性」と言えない。情けない態度だ

志位　さらに聞いていきます。いま、法の問題を言われましたので、そもそも任命拒否は、日本学術会議法に照らして許されるか。

学術会議法は、その条文の全体を通じて、独立性を幾重にも保障している

志位　パネルをご覧ください（パネル2）。日本学術会議法は、その条文の全体を通じて、学術会議の政府からの独立性を、幾重にも保障するものとなっております。

第3条で、学術会議は、「独立して…職務を行う」とされています。

第4条、第5条で、政府は学術会議に対して「諮問」ができ、学術会議は政府に対して「勧告」ができるとされ、つまり相互に独立した組織としてキャッチボールができることが明記されています。

第7条で、新しい会員は、学術会議の

「推薦に基づいて、内閣総理大臣が任命する」とされ、第17条で、学術会議は「優れた研究又は業績がある科学者」のうちから会員候補者を選考・推薦すると明記されています。

パネル2

日本学術会議法（抄）

第3条	日本学術会議は、独立して…職務を行う
第4条	政府は、…学術会議に諮問することができる
第5条	日本学術会議は、…政府に勧告することができる
第7条2	会員は、…推薦に基づいて、内閣総理大臣が任命する
第１７条	日本学術会議は、…優れた研究又は業績がある科学者のうちから会員の候補者を選考し、…推薦する
第２５条	辞職の申出があったときは、日本学術会議の同意を得て、…承認する
第２６条	会員として不適当な行為があるときは、日本学術会議の申出に基づき、…退職させる

出典：日本学術会議法より志位和夫事務所が作成

　そしてさらに第25条で、病気などで辞職する場合には、「学術会議の同意」が必要とされ、第26条で、「会員として不適当な行為」があった場合ですら、「学術会議の申出」に基づかなければ退職させることはできないとなっています。

　実質的な人事権を、全面的に学術会議に与えていることは、学術会議の独立性を保障する要となっております。

「時々の政治的便宜のための制肘を受けることのないよう高度の自主性が与えられている」

志位　そこで総理にうかがいます。これが学術会議法全体の構成ですが、1949年、日本学術会議の創設の時に、当時の吉田茂総理大臣は、祝辞のなかで、学術会議には、「時々の政治的便宜のための制肘《せいちゅう》を受けることのないよう、高度の自主性が与えられている」と明言しました。

　私は、代表質問で、吉田総理が明言したように「高度の自主性」が与えられていることを認めるかと聞きましたが、総理は、「発言を承知している」としかお答えになりませんでした。そこでこの場でもう一度お聞きしたい。吉田総理が明言した立場、「高度の自主性」、これは変わりないとはっきり言っていただきたい。総理の答弁に関わるものです。総理。総理。総理の答弁に関わる問題です。

首相　ご指摘の吉田元総理の発言は、日本学術会議の創設時に発言されたものと承知しておりますが、日本学術会議の運営については、日本学術会議法はじめ関連する法令に沿って行われるべきと認識しております。

志位　「承知している」としか言えない。「高度の自主性」ということを言えない。情けない態度だと思いますよ。それでは条文（の検討）に入っていきたいと思います。

志位　1983年法改正時の「形式的任命、拒否しない」という法解釈を維持しているのか
官房長官（法解釈を維持していると言わず）
志位　維持しているかどうかを答えられなくては、法治国家と言えなくなる

83年法改正時に「形式的任命にすぎない」（中曽根首相）と明確な法解釈が

志位　1983年、会員の公選制を推薦制に変えた法改正のさいに、学術会議の独立性が損なわれないか、学問の自由が脅かされないかが大争点となりました。パネルをご覧ください（**パネル3**）。そのさいに政府は、次のように繰り返し答弁しています。

「政府が行うのは形式的任命にすぎません」（中曽根康弘首相）

「実質的に総理大臣の任命で会員の任命を左右するということは考えておりません」（手塚康夫政府委員）

「学会の方から推薦をしていただいた者は拒否はしない」（丹羽兵助《ひょうすけ》総務長官）

非常に明確です。

総理にお聞きします。現在、政府は日本学術会議法のこの法解釈を維持しているんですか。総理、総理。

官房長官　日本学術会議の会員の任命についてはこれまでも申し上げておりますように、憲法第15条第1項に基づけば、推薦された方々を必ずそのまま任命しなければならないということではないという点については、内閣法制局の了解も得て、政府の一貫した考えであり、そうした確認にあたっては、今お話があった中曽根総理（当時）答弁等々をふまえ、こうした考え方を確認をさせていただいています。

それから、そうした推薦通り任命しなければならないということが、日学法（日本学術会議法）上、職務の独立性は保障されており、日本学術会議の職務の独立性を、そうした考え方に立って任命することが害するものではないと考えております。

志位　私が聞いたのは、この法解釈を維持しているかどうかなんです。維持しているのか、していないのか、全然答弁していませんよ。この法解釈を維持しているのか、どうですか。

官房長官　ですからまず、前提となるのは当時においても、任命権者の内閣総理大

パネル3

推薦制に変えた1983年の法案審議での政府答弁

- **「政府が行うのは形式的任命にすぎません」**（中曽根康弘首相）
- **「実質的に総理大臣の任命で会員の任命を左右することは考えておりません」**（手塚康夫政府委員）
- **「学会の方から推薦をしていただいた者は拒否はしない」**（丹羽兵助総務長官）

出典：国会会議録（第100回国会　参議院文教委員会会議録、第2号、第8号）より志位和夫事務所が作成

臣が推薦の通り任命しなければならないということではない、このことは一貫しています。その上に立って、さきほどのような中曽根総理（当時）の発言に関し、今からその趣旨を把握することは難しいけれど、当時は選挙制を廃止して、新たに各学界からの推薦に基づく任命制に移行しようとしており、当時の国会答弁において、その新しい制度によって、会員としてふさわしい者が推薦されることになるという期待が盛り込まれたと考えております。

志位　法解釈を維持しているのかどうかを聞いているんです。まったく答えていない。維持しているかどうか答えられなかったら、法治国家じゃなくなっちゃうじゃないですか（**「そうだ」、「その通り」の声**）。法の安定性がなくなっちゃいますよ（**「そうだ」の声**）。国会の審議、意味なさなくなりますよ。

「形式的任命で拒否はしない」――内閣法制局とも十分に詰めた政府の法解釈と答弁

志位　では聞きます。１９８３年の国会審議で政府はこのように答弁しております。

議事録を持ってまいりましたが、参議院文教委員会（１９８３年）５月12日の答弁でありますが、高岡完治・内閣総理大臣官房参事官の答弁です。読み上げます。

「２１０人の会員が研連から推薦されてまいりまして、それをそのとおり内閣総理大臣が形式的な発令行為を行うというふうにこの条文を私どもは解釈をしておるところでございます。この点につきましては、内閣法制局におきます法律案の審査のときにおきまして十分にその点は詰めたところでございます」

こう言っているんです。つまり「形式的な任命であって拒否はしない」、これが内閣法制局とも十分に詰めた政府の法解釈だと、もう83年の時に繰り返し、繰り返し言っているんです。

この法解釈を、あなた方が「解釈変更ではない」というのならば、83年のこの法解釈が変わっていない、現時点での法解釈と

いうことになりますねと聞いているんです。維持しているかどうかを聞いているんです。もう一回答えてください。

官房長官 ですから、日本学術会議法上の会員の任命については、憲法第15条第1項に基づけば、推薦された方々を必ずそのまま任命しなければならないということではない、これは従前から一貫した考え方である。そして中曽根総理（当時）の答弁、そうしたことも踏まえた上で、そうした確認がなされています。

まぎれもない解釈変更――任命拒否は明らかな法律違反だ

志位 これはたいへん重大であります。83年の時には、83年の政府の法解釈として、「形式的な任命であって拒否しない」、これは内閣法制局とも詰めた、ぎりぎり詰めた解釈だと言っている。それが維持されているかどうかを私は何度も聞いている。それに答えがないというのは、きわめて重大であります。（「そうだ」の声）

これはまぎれもなく解釈変更なんです。

（「そうだ」の声）

そして「形式的任命、拒否しない」というのは、83年の国会審議で確定した法解釈なんです。それに反する任命拒否は明らかに法律違反だ（「そうだ」の声）ということを言っておきます。（拍手）

志位 「内閣法制局の了解を得た政府としての一貫した考え」というが、了解を得たのはいつのことか

科学技術担当相 平成30年（2018年）11月15日

志位 「一貫した考え」というが、わずか2年前のことではないか

内閣法制局の「応接録」――このやりとりで解釈変更を行った

志位 あなた方が答えないので、別の角度からもう一問聞きます。

総理は、本会議の私の代表質問に対する答弁で、日本学術会議の会員について、「必ず推薦のとおりに任命しなければならないわけではない」という点について、「内閣法制局の了解を得た政府としての一貫した考えだ」と述べました。

それでは聞きますが、内閣法制局の了解を得たのはいつのことですか。この点は質

「内閣法制局の了解を得た政府としての一貫した考え」というが…

問通告してあります。総理、お答えください。質問通告してある。あなたが答えてください。総理、総理。

井上信治科学技術担当相　委員ご質問の点につきまして、日本学術会議事務局が文書を整理しております。その文書につきましては、平成30年11月15日に内閣法制局の了解を得たものと承知しております。なお

パネル4

応接録

相談者　内閣府日本学術会議事務局
脇補佐、朽木補佐
担当者　松谷参事官、波多野参事官補
相談年月日　平成30年9月5日～11月15日

〔件名〕日本学術会議法第17条による推薦と内閣総理大臣による会員の任命との関係について

〔相談・応接要旨〕
日本学術会議法第 17 条による推薦のとおりに内閣総理大臣が日本学術会議会員を任命すべき義務があるかどうかについて、相談があった。

内閣府が作成した別添説明資料について異論はない旨回答した。

〔備考〕
岩尾第一部長、近藤次長及び横島長官に御相談済み。

出典：内閣法制局提出資料

これは解釈変更を行ったものではありません。

志位　平成30年11月15日。驚きました、2年前の話じゃないですか。あなた方「一貫した解釈」と言っているけれども、2年前の話じゃないですか。

パネルをご覧ください（**パネル4**）。これはこの間、内閣法制局が野党ヒアリングに提出した「応接録」です。内閣府日本学術会議事務局からの相談に、法制局として回答したとあります。「相談年月日　平成30年9月5日～11月15日」。「相談・応接要旨」にこうあります。

「日本学術会議法第17条による推薦のとおりに内閣総理大臣が日本学術会議会員を任命すべき義務があるかどうかについて、相談があった。内閣府が作成した別添説明資料について異論はない旨回答した」

この別添説明資料には「内閣総理大臣に、推薦のとおりに任命すべき義務があるとまでは言えない」とあります。

つまり日本学術会議の会員について、「推薦のとおりに任命すべき義務があるとまでは言えない」という理屈をつくったのは、この時のことですね。総理、そういう認識がありますか。総理、あなたの答弁にかかわっているんですよ。

科学技術担当相　さきほど私の答弁の最後にも申し上げましたが、30年11月15日に内閣法制局の了解を得たものではあります

が、これは改めて確認をしたことで、昭和58年に選挙制が廃止され、任命制になった時からの一貫した考え方であって、解釈変更したものではありません。

「改めて確認した」というが、はっきりしないから「相談」した

志位　「改めて確認した」と言うんですが、これ読んでくださいよ。「任命すべき義務があるかどうかについて、相談があった」。はっきりしていないから「相談」したわけでしょ。「改めて」じゃないんです。あなた方は「一貫した考え」という。「内閣法制局の了承を得て、一貫して主張している」というけれども、わずか2年前に決めたものじゃないですか。こっそり決めた。

しかもこの文書は、国会で説明されていません（**「そうだ」の声**）。学術会議にも知らされることはなかった（**「そうだ」の声**）。学術会議の山極寿一《やまぎわじゅいち》会長（当時）にも知らされなかった。だから突然の任命拒否に、学術会議関係者は驚愕《きょうがく》するしかなかったのであります

国会審議で確定した法解釈を、国民に隠れ、勝手に覆す――クーデター的な法解釈の改ざん

志位　経過を整理すると、こういうことになります。

１９８３年、推薦制に変わった法改正当時、「形式的任命、拒否はしない」というのが内閣法制局とも詰めたうえでの政府の法解釈だったことは、すでに述べたとおりであります。この時に、「必ず推薦のとおりに任命しなければならないというわけではない」という法解釈を示す文書はないことはすでに政府も認めていることであります。

２００４年、現会員による選出＝コ・オプテーション方式に法改正がされた時にも、当時の総務省の「説明資料」では「日本学術会議から推薦された会員の候補者につき、内閣総理大臣が任命を拒否することは想定されていない」との政府としての法解釈を行っています。

つまり、「形式的任命、拒否はしない」、これが政府の一貫した法解釈だったんですよ。（**「そうだ」の声**）

そうした一貫した法解釈を、国民に隠れ、日本学術会議にも隠れて、勝手に覆したのが、２０１８年11月15日なんです。国会答弁で明確に示してきた法解釈を内閣の一存で勝手に変える、これはクーデター的な法解釈の改ざんというほかないじゃないですか。（**「そうだ」の声、拍手**）

総理にうかがいます。今度は総理、答えてください。法律というのは、それを制定する国会審議によって解釈が確定するのであって、政府の一存で勝手に解釈を変更するなどということはできないんです。そんなことが許されたら、およそ国会審議は意味をなさなくなるではありませんか。総

理、今度は答えてください。

首相　学術会議の会員の任命は、憲法第15条1項の関係で推薦された方々を必ずそのまま任命しなければならないということではないという点については、内閣法制局の了解を得た政府の一貫した考え方です。それに基づいて、それぞれの時点で任命権者として適切に判断したものと考えます。

志位　内閣法制局の（了解を得た）一貫した解釈というけど、2年前にこっそり決めたことだと（明らかになった）。

これでは国会審議は意味をなさなくなる。三権分立がなりたたなくなるということを、私は言っておきます。

志位　憲法15条1項を持ち出しての任命拒否論は成り立たない

憲法15条1項は、内閣総理大臣に公務員の任免権を与えた規定ではない

志位　総理は、呪文のように憲法15条1項を持ち出しますが、憲法15条1項「公務員を選定し、及びこれを罷免することは、国民固有の権利である」は、公務員の選定・罷免は、主権者である国民の権利であるという一般原則を述べたものであり、内閣総理大臣に公務員の任免権を与えた規定ではありません。

国民の選定・罷免権をいかに具体化するかは、国民を代表する国会において個別の法律で定められるべきものであります。日本学術会議の会員の選定・罷免権は、日本学術会議法で定められており、この法律に違反した任命拒否こそ憲法15条違反であり、総理の弁明は天につばするものと言わなければなりません。

内閣総理大臣が、主権者である国民から、公務員の選定・罷免権を簒奪する暴挙

志位　そもそも憲法15条1項は、戦前の大日本帝国憲法が、天皇主権のもと、第10条で「天皇ハ……文武官ヲ任免ス」と、官吏をすべて「天皇の官吏」としたことが、全体主義と侵略戦争につながったことへの反省にたって、公務員の選定・罷免権を主権者である国民に委ねたところにその核心があるんです。

総理は、公務員の選定・罷免権をあたかも内閣総理大臣にあるかのごとく、この条項を読み替えておりますが、それは内閣総理大臣が、主権者である国民から、公務員

の選定・罷免権を簒奪《さんだつ》する暴挙であるといわなければなりません。（「そうだ」の声、拍手）

独裁政治に道を開く法解釈は断じて認められない

志位　くわえて言えば、憲法15条を持ち出した任命拒否合理化論は、憲法学界の通説でも何でもありません。著名な憲法学者の小林直樹氏は、憲法15条を持ち出した任命拒否が許されれば、どんな独裁制でも合理化されてしまうことになると指摘し、「憲法15条の趣旨は決して、このような官僚的な行政支配の基礎を用意したのではない」と厳しく批判しています。独裁政治に道を開くこのような法解釈は断じて認められません。

もはや明らかだと思います。6人の任命拒否は、1983年の国会答弁で絶対にやらないと言っていた、「実質的に総理大臣の任命で会員の任命を左右する」ものであり、「推薦していただいた者の拒否」そのものです。

任命拒否が日本学術会議法に照らして違憲・違法であることは、もはや議論の余地はありません。

> **志位**　任命拒否によって、現実に学問の自由が脅かされているではないか
>
> **首相**　あってはならないことだが、人事の理由を公表することはできない
>
> **志位**　やってはならないことをやったから、こういう事態が起こっている

志位　さらに聞いていきます。今度は憲法とのかかわりです。

任命拒否は、憲法23条が保障した学問の自由を侵害するものです。

総理は、私の代表質問に対する答弁で、任命拒否が学問の自由の侵害になるとは考えていないと述べた。しかし、現実に起こっていることは何か。

研究者・学生への誹謗中傷が行われ、学問の世界の萎縮や自己規制が広がっている

志位　10月29日に放映されたNHKの「クローズアップ現代＋」で、学術会議への人事介入問題が特集的に報じられまし

た。

　そのなかで、任命拒否された立命館大学の松宮孝明教授のもとには、「今回の問題の直後からSNSにデマをもとにした批判的なメッセージが届くようになりました」。「その多くが、中国が世界の科学者を集めて研究を進める『千人計画』に協力するなどという全く身に覚えのないものでした」。松宮教授は、「怖いことですね」と語っておられました。

　さらに誹謗《ひぼう》中傷は、任命を受けられなかった教授に指導されている学生にも向けられていたことが明らかにされました。SNSで、「おめぇ、ここ、おかしんじゃねぇか…」と頭をさしている漫画の投稿がされています。学生の一人は、こう語りました。「大学を卒業し、将来社会で活躍する学生が、今回の問題による（例えば、任命を見送られた教授の講義を受けていたことで）何らかの不利益を被ってしまうような社会であってはいけないと思います。例をあげれば、就職活動に不安を覚える学生はいると思います」。こういう訴えです。

　さらに番組では、今回の問題を受けて、学問の世界に萎縮や自己規制が広がっていることも見えてきたと報じました。ある法学系研究者はこう語りました。

「とくに国立大学の研究費が非常に下がってまして、例えば各国立大学は人文・社会科学系だと1人あたり10万円くらいしか年に予算がないので、やっぱりわれわれも人間ですから忖度《そんたく》してしまいますので、今回の任命拒否された先生に近いようなテーマは選びにくくなるんじゃないかと思います。本来、学問をやるわれわれはそういうことはあってはならないですし、さまざまなことに政府の見解も踏まえて批判的に検討していくのがあるべき姿ですが、やはり政府に対する批判に忖度したうえで自粛するようなムードがないとは言えない」

　こういうことが報じられました。現場では、すでにこういう事態が起こっているんです。総理、あなたが行った任命拒否によって、現実に学問の自由が脅かされているではないですか。そういう認識はあるんですか。

「そういう状況になっているとは思っていない」（首相）、「NHKが報じたままを言った」（志位）

首相　私は、今どのような状況にあるのかということを共産党の志位委員から発言がありましたけれども、私自身はそういう状況になっているとは思っておりません。

（どよめき）

志位　私が勝手に言っている話ではないんです。NHKで報じられたことをそのまま言った。あなたは、こういうことは、あってはならないことだと思いませんか。どうですか。

首相　さきほど申し上げた通りですけども、6人の方々の学生さんの気持ちを傷付けたり、ましてや就職で不利になるようなことがあってはならないが、公務員の人事に関することであり、政府の会議の会員として、どういう方が採用されない結果となり、それがどういう理由だったかを公表はできません。

志位　総理、あってはならないとおっしゃったけれど、やってはならないことをあなたがやったから、こういう事態が起こっているんです。（「そうだ」の声）

志位　科学者が戦争遂行のための軍事研究に総動員された。このような歴史は二度と繰り返してはならないと考えるがどうか

首相　それは当然だと思うが、今回の任命をしなかったこととは関係ない

志位　そもそも日本国憲法が、思想・良心の自由や表現の自由とは別に、学問の自由の保障を独立した条項として明記したのは、歴史の反省を踏まえてのものであります。

１９３０年代、滝川事件、天皇機関説事件など、政権の意に沿わない学問への弾圧が行われました。それはすべての国民の言論、表現の自由の圧殺へとつながっていきました。そして、侵略戦争の破滅へと国を導いたのであります。憲法に明記された学問の自由の保障は、こうした歴史の反省のうえに刻まれたものでありました。

戦前の学術研究会議――科学者の軍事研究への総動員体制がつくられた

志位　戦前、学問の自由が剥奪されるもとで、科学者はどのような立場に追い込まれたか。

日本学術会議の前身として、戦前、１９２０年に、学術研究会議という機関が設立されています。学術研究会議は、文部大臣の管理下に置かれ、初めからその独立性は限られていましたが、それでも当初は会員は会議の推薦に基づいて選定され、会長も会員の互選で選出されるなど、一定の独立性が存在しました。

それがまったく奪われたのが、１９４３年のことでした。推薦制は廃止され、文部大臣の任命制に変わりました。会長も文部大臣の任命となりました。

科学者はどういう立場に追い込まれたか。戦争遂行のための軍事研究への総動員であります。パネルをご覧ください（パ科学者が戦争遂行のための軍事研究に総動員された。このような歴史は…

パネル5

全科學者を戰闘配置
學術研究會議を強化
學術研究會議 官制中改正
會長岡田博士 副會長は林 穗積兩博士

出典：1943年11月26日付朝日新聞

ネル5）。これは、1943年11月26日付の「朝日」の1面です。「全科学者を戦闘配置　学術研究会議を強化」と大見出しにあります。当初100人だった学術研究会議の会員は、戦争の拡大とともに拡大され、最後は700人に膨れあがりました。科学者の軍事研究への総動員体制がつくられ、動員された科学者総数は2400人を超えました。

戦争末期――本土決戦用の兵器開発など、すべてが戦争遂行のための研究に

志位　もう1枚、パネルをご覧ください（パネル6）。学術研究会議には、文部大臣の指示で、1945年4月時点で、10の研究についての特別委員会が設置されています。これがその一覧です。読み上げますと、「熱帯医学」、「地下資源開発」、「音響兵器」、「航空燃料」、「国民総武装兵器」、「勤労管理」、

パネル6

学術研究会議に設置された特別委員会

（1945年4月）

- 熱帯医学
- 地下資源開発
- 音響兵器
- 航空燃料
- 国民総武装兵器
- 勤労管理
- 磁気兵器
- 電波兵器
- 噴射推進
- 非常事態食糧

出典：「学術研究会議の共同研究活動と科学動員の終局」青木洋（『科学技術史』第10号）より志位和夫事務所が作成

「磁気兵器」、「電波兵器」、「噴射推進」、「非常事態食糧」。本土決戦用の研究なんです。本土決戦用の兵器開発など、すべてが戦争遂行のための研究でした。

総理にうかがいます。科学者がこういう形で、戦争遂行のための軍事研究に総動員された。このような歴史は、二度と繰り返してはならないと考えますが、いかがですか。

首相　それは当然のことだと思いますけど、今回の任命をしなかったこととは関係ないことじゃないでしょうか。

志位　当然のことと言われました。今回と関係ないと言ったけども、大いに関係ありますよ。（質問を）聞いていなかったのですか。

志位　日本学術会議の独立性の破壊は、過去の誤った道をそのまま繰り返すものではないか

首相　まったく考えていない

志位　3度にわたる軍事目的のための科学研究に反対する声明は、当然のものだ

日本学術会議の設立は、痛苦の歴史への反省を踏まえたものだった

志位　こうした歴史の反省にたって、戦後、日本学術会議が設立されたさいには、次の決意表明がされた。パネルをご覧ください（パネル7）。これが戦後の決意表明です。

「この機会に、われわれは、これまでわが国の科学者がとりきたった態度について強く反省し、今後は、科学が文化国家ないし平和国家の基礎であるという確信の下に、わが国の平和的復興と人類の福祉増進のために貢献せんことを誓うものである」

日本学術会議の設立は、科学者が戦争遂行のための軍事研究に総動員された、戦前の歴史、痛苦の歴史への反省を踏まえたものでした。

そして戦後の日本学術会議が、政府から高度の独立性が保障されたのも、戦前の

学術研究会議がさきほどいったように、推薦制であったものまで任命制に変えられ、その独立性を全く剥奪されて、政府の御用機関とされた歴史の反省を踏まえたものだったのです。

パネル7

日本学術会議の発足にあたって
科学者としての決意表明（1949年1月22日）

「この機会に、われわれは、これまでわが国の科学者がとりきたった態度について強く反省し、今後は、科学が文化国家ないし平和国家の基礎であるという確信の下に、わが国の平和的復興と人類の福祉増進のために貢献せんことを誓うものである。」

出典：「日本学術会議の発足にあたって科学者としての決意表明」（1949年1月22日）より志位和夫事務所が作成

総理にはそういう認識がありますか。今日のことと関係ないというわけじゃないんです。どうですか、総理。「関係ない」と言ったけれどそんなことない。独立性を侵害した結果こういうことになった。この反省の上に戦後の日本学術会議があるんです。いかがですか、総理。あなたが言ったことじゃないですか。

官房長官　まず、学術会議はあくまでも日本学術会議法上、科学に関する重要事項の審議等の職務を独立して行うことが規定されておりますし、そういう運営をさせていただいております。また、学術会議の会員の任命については、国の行政機関である学術会議の役割等も踏まえて公務員に任命するものであり、当然、その責務は任命権者である内閣総理大臣が負っています。こうした任命権の行使が、会議の職務の独立性を侵害することにはならないと考えております。

戦前、学術研究会議の独立性を剥奪し御用機関としたことが、誤った道を歩ませた

志位　総理、答えてください。総理がいま行っているのは、まさに日本学術会議の独立性の破壊という点で、過去の誤った道をそのまま繰り返すものじゃないですか。どうですか。総理、（その）認識ないんですか。

首相　全く考えていません。いま官房長官の言われた通りです。

志位　戦前のまさに推薦制という一定の独立性まで剥奪して、そして御用機関とした。そのことがこういう道を歩ませたんです。

日本学術会議は、１９５０年、１９６７年、２０１７年、３度にわたって軍事目的のための科学研究に反対する声明を発表しておりますが、これは科学の軍事利用への

反省という原点に立った当然の声明といわなければなりません。

志位　学問の自由のみならず、表現、言論、信教の自由の侵害にもつながる重大問題だ
首相　まったく関係ない
志位　国民の批判の声が、あなたにはまったく届かないのか

学協会から、映画人、自然保護団体、宗教団体まで、幅広い団体から任命拒否に抗議の声が

志位　最後に聞きます。総理による6人の任命拒否は、6人の方だけの問題ではありません。日本学術会議だけの問題でもありません。日本国民全体にとっての大問題であります。

670もの学協会や大学・大学人、自然保護団体、消費者団体、映画人、演劇人、作家、ジャーナリスト、宗教団体など、幅広い団体から任命拒否に抗議する声明が出されております。

映画人有志による抗議声明は、「この問題は、学問の自由への侵害のみに止《とど》まりません。これは、表現の自由への侵害であり、言論の自由への明確な挑戦です。……今回の任命除外を放置するならば、政権による表現や言論への介入はさらに露骨になることは明らかです。もちろん映画も例外ではない」と訴えています。

生長の家は、「科学的真理の探究を操作しようとする政治が、宗教的真理の探究を尊重するなどということはあり得ない」と、抗議声明を出しています。

日本自然保護協会、日本野鳥の会、世界自然保護基金ジャパンの抗議声明は、「（日本学術会議によって）私たちが活動する環境分野においても、気候変動、災害対策、感染症対策、環境教育、エネルギー、国土保全、野生動物管理、生物多様性保全などをテーマにした提言がなされ、科学的根拠をもとに活動する自然保護団体はじめ多くの人々に理論的な拠《よ》りどころを示してきました。……政府が日本学術会議に政治介入したことは、日本の健全な自然保護の推進の観点からも見過ごすことができません」と述べています。

今回の任命拒否を、多くの方々が、学問の自由の侵害のみならず、表現の自由、言論の自由の侵害につながり、信教の自由の侵害にもつながり、環境保護の運動にとっ

ても重大問題だと、声をあげている。総理はこの声、どう受け止めますか。

「全体主義国家への階段を上っていく」（山極前学術会議会長）との警告が

首相　今回の任命をしなかったことについて、そうした表現の自由だとか、学問の自由だとか、いろいろほかの団体もありましたけれども、そうしたことにまったく関係がないということを丁寧に説明させていただきたいと思います。

それは、私自身は、この学術会議そのものを国民に理解をされ、納得のされる学術会議にしたいし、梶田会長とともによりよいものにしていきたいということで、その方向性を示したところであります。学術会議を閉鎖的、また既得権益、さらには前例主義、そういうことから脱却をさせるなかで、よりよいものにしていきたい。このように思います。

志位　国民の批判の声がまったく届かないですね、あなたには。

山極寿一前京大総長、前学術会議会長は、「国の最高権力者が『意に沿わないものは理由なく切る』と言い出したら、国中にその空気が広がる。……それは着実に全体主義国家への階段を上っていくことになる」。こう警告しておられます。

志位　違憲・違法の任命拒否の撤回を強く求める

志位　総理は、これまでも強権をもって異論を排斥する政治を進めてきました。人事をテコに、霞が関を恐怖支配のもとに置き、恫喝《どうかつ》と懐柔を織り交ぜてメディア支配を強めてきました。そしてついに、日本学術会議の人事にまで介入し、この機関を御用機関におとしめ、科学者までも支配下に置こうとしている。

しかし、強権をもって異論を排斥する政治には決して未来はありません。それは歴史が証明しています。

違憲・違法の任命拒否の撤回を強く求めて質問を終わります。**（拍手）**

（「しんぶん赤旗」２０２０年11月６日付）

—ＭＥＭＯ—

—ＭＥＭＯ—

—M E M O—